Cuentos divertidos para personas mayores

FLORA CASAL

© Flora Casal, 2023

ISBN 9788411742672

Impresión y editorial: BoD – Books on Demand
info@bod.com.es - www.bod.com.es
Impreso en Alemania – Printed in Germany

Reservados todos los derechos. No se permite la reproducción total o parcial de esta obra, ni su incorporación a un sistema informático, ni su transmisión en cualquier forma o por cualquier medio (electrónico, mecánico, fotocopia, grabación u otros) sin autorización previa y por escrito de los titulares del copyright. La infracción de dichos derechos puede constituir un delito contra la propiedad intelectual.

La carrera

Don Eugenio era un anciano que vivía en el tranquilo barrio de Pueblo Risueño. Todos lo tenían por un hombre tranquilo y serio. Un día Don Eugenia se encontraba inmerso en su rutina diaria: sacar a pasear a su perro, un schnauzer llamado Fideo, que tenía la mirada perdida y una colección de canas que rivalizaba con las del propio Don Eugenio.

Era un día soleado y mientras caminaban por la plaza central, Fideo, de repente, levantó las orejas y enfocó su atención en un pequeño callejón lateral. Don Eugenio, luchando contra la resistencia de su vejez, intentó seguir la mirada de su compañero canino.

Lo que Fideo había visto era un gato, con ojos tan brillantes que parecían desafiar la lógica de un perro anciano. Sin previo aviso, Fideo se lanzó como un cohete tras el felino, arrastrando a Don Eugenio con él.

"¿Qué haces Fideo?", exclamó Don Eugenio mientras era arrastrado a toda velocidad por las calles del barrio.

Los vecinos, sentados en sus porches disfrutando del buen clima, se asombraron al ver a Don Eugenio corriendo detrás de Fideo.

"¡Miren, Eugenio está entrenando para una maratón!", exclamó Doña Clara, una vecina que presumía de conocer todos los chismes del barrio.

"¿Una maratón a su edad? ¡Es un ejemplo de vitalidad!", añadió Don Ramiro, un jubilado que había sido atleta en su juventud.

Uno tras otro, los ancianos del barrio se unieron a la carrera imaginaria, pensando que se trataba de un evento especial. Entre risas y comentarios jocosos, el grupo siguió a Don Eugenio, quien luchaba por mantenerse en pie mientras Fideo continuaba persiguiendo al gato en una persecución sin fin. El tranquilo barrio de Pueblo Risueño era el escenario de una carrera absurda y desenfrenada.

Finalmente, Don Eugenio se detuvo, jadeante y con las rodillas temblorosas, en medio de la plaza central. Fideo, agotado pero satisfecho, regresó junto a su dueño. La multitud de ancianos, también exhausta, lo rodeó con caras sonrientes y aplausos.

"¡Increíble, Don Eugenio! ¡Usted es un ejemplo para todos nosotros!", exclamó Doña Rosa, la entusiasta organizadora de eventos del barrio. "¡Todos queremos entrenar con usted para la maratón!".

Don Eugenio, entre risas nerviosas, intentó explicar la situación. "No, no estaba entrenando para ninguna maratón. Fideo solo persiguió a un maldito gato, y yo fui arrastrado en esta ridícula persecución".

Silencio. Los rostros sonrientes se tornaron en expresiones de confusión y luego en indignación. Los ancianos se miraron entre sí, sintiéndose engañados y decepcionados.

"¿Un gato?", exclamó Doña Rosa con desdén. "¿Nos hizo correr como idiotas por un gato?"

Don Eugenio intentó disculparse, pero la multitud de ancianos se dispersó rápidamente, murmurando entre ellos y lanzándole miradas furiosas. El barrio de Pueblo Risueño nunca había visto tanta indignación desde la vez que alguien confundió el café descafeinado con el normal en el club de lectura.

Y así, Don Eugenio se encontró solo en la plaza, con Fideo a su lado. A unas decenas de metros un gato se relamía la patita, observándolos desde la distancia, como si estuviera muy satisfecho de haber sido el instigador de todo ese caos.

Un ejercicio suave

Don Óscar vivía desde su jubilación en la tranquila localidad de Villa Estornudo. Hacía tiempo que no se encontraba en plena forma y decidió visitar al médico. Pensaba que este le podría recetar unas vitaminas o algún complemento para recuperar el vigor perdido. El Doctor, tras examinarlo y comprobar que se encontraba bien de salud, le sugirió que practicara un ejercicio suave para mantenerse en forma. Le comentó que la petanca sería ideal para él y que por casualidad formaba parte de un equipo y que ahora tenía una vacante.

Con reticencia, Don Óscar decidió probar suerte en el mundo de la petanca y en el equipo dirigido por el doctor. Al día siguiente, ataviado con una camiseta a rayas que hacía juego con sus calcetines, y con una expresión de total desconfianza, se unió al grupo de entusiastas petanqueros en el parque.

Como temía, al cabo de unos minutos de lanzar bolas metálicas al aire, Don Óscar estaba jadeando como un perro persiguiendo su propia cola.

"¡Esto no es lo mío, doctor! Creo que mi corazón se va

a tomar unas vacaciones permanentes", exclamó, sentándose ruidosamente en una silla.

Ante tal dramatismo, el doctor se puso serio por un momento. "Bueno, Don Óscar, tenemos que encontrar algo que funcione para usted. Algo suave, pero efectivo".

Don Óscar, con la astucia propia de un anciano con

muchos años de experiencia, se iluminó de repente.

"¿Qué tal el ajedrez, doctor? Siempre he oído que es un deporte estupendo, y no hay riesgo de infarto asociado".

El doctor, encantado con la ocurrencia, asintió. "¡Ajedrez! Excelente elección, Don Óscar. Este es el ejercicio que realmente le conviene para recuperar su fortaleza física".

El médico lo invitó a su consulta para disputar una partida de ajedrez como él había sugerido. Lo que Don Óscar no sabía era que el doctor tenía algo preparado para él que no esperaba.

Don Óscar entró en la sala y se encontró con un tablero que ocupaba todo el suelo, con piezas que parecían más bien esculturas modernas. Los peones tenían medio metro de altura, y las torres un metro casi al completo. Don Óscar abrió los ojos como platos.

"¿Esto es ajedrez, doctor, o una broma?", preguntó, asombrado.

"Es su nueva rutina de ejercicio suave, Don Óscar. Tiene que mover esas piezas gigantes con su propio esfuerzo", explicó el médico con una risa traviesa.

Don Óscar, con gesto resignado, aceptó el desafío. No había manera de escapar de aquella partida monumental ya que él mismo la había sugerido. Con cada movimiento, se veía obligado a agacharse y hacer esfuerzos para levantar y trasladar las piezas.

Entre tanto esfuerzo, Don Óscar murmuraba para sí mismo: "Esto no es ajedrez, es una sesión de gimnasia disfrazada".

Don Óscar sudaba y jadeaba, pero a pesar de todo, no se rindió. Movía las piezas con determinación, como si estuviera en una batalla contra un ejército de titanes. Al final de la partida, Don Óscar estaba agotado pero sonriente. El médico, con una palmada en el hombro, le dijo: "¡Bien hecho, Don Óscar! Ya ve que puede disfrutar del ajedrez y hacer ejercicio al mismo tiempo".

Don Óscar, con una mezcla de alivio y orgullo, asintió. "Doctor, usted sabe cómo hacer que un anciano se sienta joven otra vez. Aunque para otro día creo que prefiero los riesgos de la petanca".

El periódico

Don Celestino, un anciano afable y asiduo visitante del quiosco en la esquina de su calle, tenía una rutina que rivalizaba con la precisión de un reloj suizo. Cada mañana, después de saludar con un "¡Buenos días, Esteban!" al dueño del quiosco, adquiría su ejemplar del periódico local.

Con su periódico bajo el brazo, Don Celestino se dirigía al banco del parque, donde encontraba a su inseparable amigo, Pancho. Juntos compartían risas, comentarios sobre las noticias y hasta algún chisme sobre los vecinos.

Sin embargo, un día, Pancho expresó su cansancio por las malas noticias. "Celestino, estoy harto de tanta desgracia. Parece que el mundo se está volviendo loco. No hay nada bueno en estas páginas".

Don Celestino, siempre ingenioso, decidió cambiar la situación. A la mañana siguiente, al sentarse en el banco del parque exclamó: "¡Pancho, tengo buenas noticias para ti!"

Don Pancho, sorprendido, alzó las cejas. "¿Buenas noticias? ¿En serio?"

Don Celestino, con un brillo travieso en los ojos, comenzó a enumerar las buenas noticias del día, aunque solo había encontrado una: "Hoy en el periódico leí que un joven encontró un reloj en la calle y logró localizar a su dueño. Y el propietario se puso tan contento que dio una recompensa al joven.

Don Pancho, aunque inicialmente escéptico, no pudo evitar sonreír. "¡Vaya, Celestino, eso sí que son buenas noticias! Nunca pensé que diría esto, pero quiero más".

Don Celestino, decidido a hacer feliz a su amigo, ideó un plan. Al día siguiente, compró una pila de periódicos y revistas de todo tipo en el quiosco. Con tijeras en mano, recortó todas las buenas noticias que encontró, creando su propio periódico personalizado lleno únicamente de historias positivas.

Entusiasmado, se reunió con Don Pancho en el banco del parque. "¡Pancho, hoy traigo las noticias más positivas que jamás hayas escuchado!"

Don Pancho, intrigado, observó cómo Don Celestino desplegaba su periódico de recortes. Entre risas, historias de hazañas y gestos de amabilidad, Don Pancho se sumergió en un mundo de optimismo.

"¡Celestino, esto es maravilloso! Nunca pensé que podría disfrutar tanto de las noticias", exclamó Don Pancho, con los ojos brillando de alegría.

Don Celestino, con una sonrisa satisfecha, respondió:

"Pues claro, amigo mío. Si el mundo está lleno de malas noticias, ¿por qué no crear nuestro propio rincón feliz?"

Y así, día tras día, Don Celestino y Don Pancho disfrutaron de su peculiar periódico de buenas noticias. La gente del barrio se preguntaba por qué siempre estaban felices, pero no tenían ni idea de que todo comenzó el día que uno de ellos se propuso hacer sonreír a su amigo.

La planta exótica

Doña Filomena Carrasco, una anciana de pelo blanco como la nieve y ojos centelleantes detrás de sus gafas de montura dorada, había decidido que era hora de dar un impulso a su jardín. Cansada de las margaritas y los claveles que adornaban su patio, decidió que lo mejor sería consultar con alguien que supiera de plantas exóticas.

Su vecino, el joven estudiante universitario Lucas Rodríguez, era conocido en el vecindario por tener un jardín lleno de plantas de colores brillantes. Doña Filomena decidió que él sería la persona perfecta para darle algunos consejos.

Un día, llamó a la puerta de Lucas con entusiasmo.

"¡Buenos días, joven Lucas! ¿Podrías ayudarme con mi jardín? Quiero plantar algo hermoso y exótico", dijo Doña Filomena con una sonrisa.

Lucas, siempre amable, accedió encantado. "¡Claro, doña Filomena! Estoy seguro de que algo podremos hacer para que su jardín sea el más hermoso del vecindario".

Le proporcionó a la anciana algunas semillas y le dio instrucciones detalladas sobre cómo cuidarlas. Lo que Doña Filomena no sabía era que las semillas provenían de una planta de marihuana que Lucas cultivaba en su patio trasero.

Pasaron las semanas y el jardín de Doña Filomena floreció de una manera que ella nunca había imaginado. Las plantas crecían exuberantes y fuertes, pero lo que la anciana no sabía era que eran cannabis en toda su gloria. La fragancia distintiva de la planta comenzó a llenar el aire, atrayendo la atención de los vecinos.

Pronto, murmullos y chismes comenzaron a extenderse por el vecindario. Doña Filomena, ajena al verdadero origen de sus plantas, se regodeaba en la belleza de su jardín y compartía historias de sus cuidados con los demás.

Un día, una vecina, Doña Encarnación, llamó a la puerta de Doña Filomena para interesarse por su jardín.

"Filomena, querida, ¿qué tipo de plantas tan maravillosas estás cultivando? ¡El aroma es simplemente embriagador!", exclamó Doña Encarnación con asombro.

Doña Filomena, feliz de compartir sus logros, le contó sobre las semillas que le había dado Lucas y cómo había seguido sus consejos al pie de la letra.

Doña Encarnación, que conocía la fama de Lucas, la miró con ojos incrédulos antes de soltar una risa nerviosa. "Querida, creo que Lucas te dio algo más que simples semillas. Esas son plantas de marihuana".

Doña Filomena, con los ojos como platos, se quedó en shock. "¡Marihuana! ¡Ay, Dios mío! ¿Qué hago ahora?" Doña Filomena, desesperada por salvar su reputación, ideó un plan peculiar. Decidió cocinar las plantas. Así, pensó, podría hacer que desaparecieran de una vez por todas.

Mientras preparaba la extraña comida, su vecina Doña Encarnación la observaba con incredulidad. "¿Realmente piensas que eso solucionará el problema, Filomena?"

"Doña Encarnación, en mi larga vida, he aprendido que a veces, la mejor manera de lidiar con un problema es comérselo", respondió Doña Filomena con una sonrisa traviesa. "Aunque no es necesario comérselo sólo", añadió.

Tras varias horas cocinando, organizó una cena en la que invitó a sus vecinos, presentando el plato principal: estofado de verduras exóticas con patatas. Todos se sentaron a la mesa y comieron, sin sospechar nada, aquel estofado de agradable olor.

Durante la cena uno de los vecinos, que era policía jubilado y le habían llegado rumores sobre la naturaleza de las plantas del jardín, le comentó a la anfitriona que le gustaría poder verlas. Doña Filomena, suspirando, le dijo que lo lamentaba, pero que las plantas ya no estaban allí. "Era un problema mantenerlas y decidí eliminarlas todas", remató con una sonrisa burlona. "¿Está bueno el estofado?".

Cocina saludable

Don Tito Fernández, el jubilado cocinero de la antigua "Fritanga El Ventorrillo", se encontraba en una encrucijada después de décadas de freír todo lo que se cruzara por sus fogones grasientos. Había decidido, como un acto de redención culinaria, inscribirse en un curso de cocina moderna y saludable.

Después de semanas de sufrimiento y luchas con ingredientes desconocidos, Don Tito sorprendentemente superó el curso con honores. Animado por su nueva sabiduría gastronómica, decidió organizar una cena para sus antiguos clientes del bar de carretera en un elegante salón de banquetes.

"¡Bienvenidos, amigos! Hoy les demostraré que la comida puede ser saludable y deliciosa a la vez", exclamó con una sonrisa amplia.

Los clientes, acostumbrados a las raciones abundantes y las frituras generosas de antaño, intercambiaron miradas incrédulas.

"¿Saludable? ¿Qué ha pasado con Don Tito?", susurró uno de ellos.

La cena comenzó con una ensalada de hojas verdes y vinagreta de frutas exóticas. Los comensales miraron los platos con desconfianza.

"Esto no parece suficiente para llenar un estómago", murmuró otro cliente, preocupado.

Don Tito, sin inmutarse, continuó sirviendo platos innovadores y bajos en calorías. Hubo brochetas de pollo a la parrilla con salsa de yogur, quinoa con verduras al vapor y hasta una sorprendente crema de brócoli.

Los rostros de los clientes se mostraban cada vez más desconcertados y preocupados a medida que las porciones disminuían y los platos se volvían más exóticos. Finalmente, Don Tito anunció el plato principal: "Tartar de salmón con reducción de vinagre balsámico y compota de mango". Los comensales intercambiaron miradas de pánico.

"¿Dónde está el plato principal de verdad? ¿Dónde están las raciones grandes?", exclamó uno de los antiguos clientes, levantándose de su silla.

La tensión en la sala alcanzó su punto máximo cuando todos los viejos clientes comenzaron a protestar en voz alta. Don Tito, ante el motín inminente, buscó una solución rápida. Se subió a una silla y levantó las manos.

"Amigos, amigos, entiendo que algunos de ustedes están acostumbrados a platos más sustanciosos. Pero no se preocupen, tengo una solución", dijo con una sonrisa astuta.

Los clientes lo miraron con escepticismo.

"Don Tito, te respetamos, pero esto no es suficiente para llenarnos el estómago. Necesitamos algo más que hojas verdes", clamó uno de ellos.

Don Tito asintió comprensivamente. "Lo entiendo, lo entiendo. En honor a los buenos tiempos, quiero invitarlos a todos a una ración especial en mi antiguo bar. ¿Qué les parece?"

Los ojos de los clientes se iluminaron. La perspectiva de una ración abundante en "Fritanga El Ventorrillo" despertó sus apetitos perdidos.

Rápidamente abandonaron el salón y se dirigieron al viejo bar de carretera. Al entrar, el aroma familiar de frituras y aceite caliente llenó el aire, y los clientes se sintieron como en casa.

Don Tito sonrió triunfante. "¡Aquí estamos, amigos! Callos para todos, ¡cortesía de la casa!"

Los clientes, aliviados, se sentaron en las mesas de siempre y disfrutaron de una ración generosa de callos.

Don Tito, entre risas y chistes, se unió a ellos, contento por haber evitado un motín y perder a sus antiguos amigos. Pero, además, viendo como la camaradería volvió a reinar, pensó que, a veces, las viejas costumbres son las que mejor satisfacen el hambre del corazón y el estómago.

La hora del té

Doña Matilde y sus amigas, todas ellas encantadoras ancianas que se reunían religiosamente cada miércoles para su sesión de té y pastas, compartían más que simples infusiones y chismorreos. Entre risas y anécdotas, formaban una pandilla inseparable que desafiaba las arrugas que iba dejando el tiempo.

Un miércoles cualquiera, mientras disfrutaban de sus pastas y charlaban sobre las últimas novedades en la vecindad, la señora Marta, la más intrépida del grupo, soltó una bomba.

"Chicas, estoy harta del té de siempre. Hoy voy a pedir algo diferente, algo exótico", anunció con un brillo travieso en los ojos.

Las otras señoras intercambiaron miradas de sorpresa y risitas contenidas.

"¿Exótico, dices? ¿En nuestro humilde lugar de encuentro?", preguntó doña Carmen, la más conservadora del grupo.

"Matilde, ¿qué opinas? ¿Te atreverías a cambiar el ri-

tual?", preguntó la señora Rosa, la voz de la razón del grupo.

Doña Matilde, siempre abierta a nuevas experiencias, sonrió y asintió. "¡Por supuesto, chicas! Hagamos de este miércoles algo inolvidable. ¡Vamos a probar ese combinado exótico que tanto ansía Marta!"

Las señoras, contagiadas por la emoción de la propuesta, se dirigieron al mostrador con paso firme y decidido.

"¡Hola, joven! Hoy nos atreveremos con algo diferente. Queremos probar ese combinado exótico que tiene en la carta", declaró doña Marta, desafiando la rutina establecida.

El joven camarero, desconcertado ante la solicitud poco común, titubeó antes de asentir. "Por supuesto, señoras. ¡Un combinado exótico para las valientes de la tarde!"

El combinado llegó a la mesa en un abrir y cerrar de ojos. Unas copas extravagantes adornadas con frutas desconocidas y un aroma embriagador.

Doña Marta levantó su copa con una expresión triunfante. "Por las nuevas experiencias, chicas. ¡Salud!"

Las otras siguieron su ejemplo, brindando con entusiasmo. A medida que probaban el misterioso combinado, sus caras pasaron de la sorpresa inicial al deleite. "¡Esto está delicioso! ¡Nunca imaginé que podríamos encontrar algo tan exquisito en esta cafetería!", exclamó doña Carmen entre risas.

La atmósfera en la mesa cambió drásticamente. Las risas eran más contagiosas, las bromas más atrevidas, y las señoras se sumergieron en una animada conversación llena de ocurrencias.

"¿Qué les parece si a partir de ahora cada una de nosotras trae algo diferente cada miércoles? ¡Podríamos hacer que nuestras reuniones fueran aún más interesantes!", propuso doña Rosa, emocionada por la idea.

El resto de las señoras asintió entusiasmado, y así comenzó la nueva tradición de los miércoles. Cada semana, una de ellas se encargaba de sorprender al grupo con algo inusual, ya fueran bocadillos extravagantes, juegos de mesa divertidos o chismes picantes.

Una tarde, doña Matilde apareció con una caja llena de accesorios de disfraces.

"Chicas, hoy nos convertiremos en estrellas de cine. ¡A ponerse los sombreros y las plumas!"

Las señoras, con sus disfraces improvisados, desataron carcajadas en todo el lugar, convirtiendo su modesta reunión de los miércoles en un espectáculo digno de ser recordado.

Los auriculares

Don Eustaquio Alcázar, un anciano de ochenta y siete años, siempre había sido un hombre de costumbres arraigadas. Su vida transcurría entre la tranquilidad de su hogar y las visitas que hacía al supermercado local. Sin embargo, el destino le tenía reservada una sorpresa que cambiaría la monotonía de sus días.

Una soleada mañana, doña Hortensia, su esposa de toda la vida, decidió darle un regalo especial: unos modernos auriculares Bluetooth para que pudiera disfrutar de su música favorita directamente desde su teléfono móvil. Don Eustaquio, acostumbrado a la tecnología de décadas pasadas, miró los auriculares con recelo, pero al ver la ilusión en los ojos de su esposa, decidió darles una oportunidad.

Lo que doña Hortensia no sabía era que, una vez que don Eustaquio descubriera la maravilla de los auriculares, su vida daría un giro inesperado. Desde ese momento, no se separaba de ellos ni para ir al baño. Paseaba por la casa con su teléfono móvil en el bolsillo y los auriculares puestos, balanceándose al ritmo de las canciones de su juventud.

Un día, que tocaba ir al supermercado, doña Hortensia le dictó una lista de compras meticulosamente elaborada. Sin embargo, don Eustaquio, absorto en los acordes de una vieja canción, no prestó atención a las instrucciones detalladas de su esposa.

Decidido a hacer sus recados, don Eustaquio se aventuró a salir a la calle con los auriculares puestos. Mientras caminaba por la acera, tarareaba alegremente, ajeno al mundo que lo rodeaba. Las miradas curiosas de los transeúntes no lograban perturbar su burbuja musical.

Dentro del supermercado, don Eustaquio, con los auriculares puestos, se lanzó a la caza de los productos de la lista. Siguiendo el compás de la música llenó su carrito con una generosa cantidad de detergente.

Mientras examinaba las estanterías, una señora de edad avanzada se le acercó y le preguntó por la ubicación de los cereales. Don Eustaquio, sin quitarse los auriculares, le dio una serie de indicaciones que, para su sorpresa, no tenían nada que ver con la sección de cereales. La señora, perpleja, agradeció educadamente y se alejó en busca de ayuda más competente.

Finalmente, con el carrito lleno de productos, don Eustaquio llegó a la caja. Al ver tanto jabón, el cajero no pudo contener la risa.

"Señor, parece que le han encargado la limpieza de todo el barrio. ¿Seguro que estos son los productos que necesita?", preguntó entre risas.

Don Eustaquio, aún con los auriculares puestos, asintió felizmente. "Es lo que me ha pedido mi esposa", dijo.

De vuelta a casa, doña Hortensia no pudo contener su indignación al descubrir la compra.

"¡Eustaquio, por Dios! ¿Qué has hecho en el supermercado?", exclamó." ¡Te había pedido jamón y no jabón!, le recordó enfadada.

Don Eustaquio, aún con los auriculares puestos, intentó justificarse con gestos y risas, pero doña Hortensia le quitó los auriculares de un manotazo.

"¡Ya está bien, Eustaquio! A partir de ahora, los auriculares solo los usarás cuando no estemos hablando. No quiero más desastres en el supermercado", sentenció doña Hortensia.

Don Eustaquio, resignado, aceptó su veredicto y guardó los auriculares en su bolsillo. Sin embargo, la melodía de la vida seguía sonando en su mente, y aunque aprendió a limitar su uso, nunca dejó de disfrutar de su música favorita en la comodidad de su hogar, donde la única confusión era la que él mismo generaba al intentar bailar con la escoba como pareja.

El diario

Doña Felisa, una respetable anciana de setenta y ocho años, recibió un peculiar regalo de su esposo, Don Evaristo: un diario. La intención de Don Evaristo era que su querida esposa pudiera plasmar sus impresiones diarias, con la esperanza de que aquello le ayudara a mantener fresca la memoria. Sin embargo, para doña Felisa, la idea resultaba tan emocionante como ver crecer el césped.

—¡Un diario, Evaristo! ¿Qué voy a hacer yo con un diario? ¿Escribir que hoy fui al mercado y compré tomates maduros? ¡Vaya regalo más triste! —exclamó doña Felisa con desdén.

Sin embargo, doña Felisa era una mujer que nunca había tirado nada y no pensaba empezar a dilapidar las cosas a esas alturas de su vida por lo que decidió darle uso al obsequio de su esposo. Pero en lugar de registrar aburridas experiencias personales, doña Felisa decidió convertir el diario en un cuaderno de chismes del barrio.

A partir de ese día, cada página del diario se llenó de intrigas y cotilleos sobre los vecinos y vecinas del tran-

quilo vecindario. Doña Felisa se convirtió en la guardiana de los secretos más oscuros y las anécdotas más jugosas. A medida que iba recopilando historias, la emoción de su vida cotidiana alcanzó niveles inesperados.

Un día soleado, mientras doña Felisa estaba absorta en su tarea de redacción, su esposo le sugirió:

—¿Por qué no salimos al parque, Felisa? El aire fresco nos vendrá bien.

Doña Felisa, más preocupada por descubrir si la señora Marta estaba teniendo un romance con el señor Rodríguez, aceptó a regañadientes y dejó descuidadamente su preciado cuaderno de chismes junto al periódico de Don Evaristo.

Don Evaristo, al salir, no se dio cuenta que llevaba el diario de su esposa junto a su periódico hasta el banco del parque. Allí ambos se sentaron y mientras Don Evaristo leía su periódico, Doña Felisa miraba la gente que pasaba buscando nuevas historias para escribir.

Al cabo de un rato, empezó a nublarse y el matrimonio decidió que era hora de marcharse. Ninguno de ellos se dio cuenta que el diario secreto se quedó en el banco del parque, oculto bajo el periódico. Don Evaristo tenía la costumbre de dejarlo así una vez lo había leído.

Al llegar a casa Doña Felisa descubrió el error que había cometido y dónde estaba su diario. Horrorizada por la posibilidad de que los chismes que había escrito se hicieran públicos, se abrochó el abrigo a toda prisa y salió corriendo de nuevo hacia el parque.

Allí, en el mismo banco donde se sentaron, encontró a un anciano distraído hojeando el diario secreto.

—¡Disculpe, señor! Ese diario es mío. — le dijo doña Felisa, con apremio.

El anciano levantó la mirada, confundido, y le entregó el cuaderno.

— Pensé que alguien lo había olvidado. Estuve a punto de empezar a leerlo, pero se veía bastante aburrido. No sabía que la gente todavía escribía diarios en papel —comentó el anciano.

Doña Felisa agradeció al cielo que el anciano no hubiera descubierto el contenido. Con el diario de chismes a salvo, regresó a casa, donde explicó a Don Evaristo el malentendido. Ambos rieron juntos, y doña Felisa decidió guardar el diario bajo llave para evitar futuros equívocos.

El vecindario nunca supo de los chismorreos que doña Felisa atesoraba en su diario. Y mejor que fuera así: allí se escondían los secretos más jugosos del barrio.

La visita

Doña Rosalinda, una señora mayor de pelo plateado y espíritu indomable, decidió que ya era hora de visitar a sus hijos. Cada uno vivía en una punta opuesta del país y se moría de ganas de verlos. Su problema era que no contaba con la fortuna suficiente para costearse los billetes de tren para tan largos desplazamientos.

Un día se hartó de esperar y llena de confianza se propuso colarse en el tren que la llevaría a su destino.

Ataviada con su abrigo de lana, sombrero de flores y la maleta que había sobrevivido a incontables viajes, doña Rosalinda se acercó sigilosamente a la estación de tren. Al ver al guardia de la entrada, aprovechó una distracción de éste y se deslizó ágilmente por el torniquete sin ser vista.

— ¡Ah, que te den, estación! — murmuró triunfante doña Rosalinda, mientras se alejaba rápidamente en dirección al tren.

Ya dentro del tren, se escondió en un compartimiento vacío y rezó para que nadie descubriera su astucia.

Pero el destino le tenía reservada una sorpresa.

El revisor, un hombre de bigote prominente y aire severo, apareció en el pasillo. Al abrir la puerta del compartimiento, encontró a doña Rosalinda hurgando en su bolsa en busca de unas galletas.

— ¡Ah, hola, joven! ¿Le apetece una galleta? Son caseras — ofreció doña Rosalinda, intentando disimular su nerviosismo.

— Buenas tardes, señora. ¿Tiene su billete? — preguntó el revisor, con una mirada inquisitiva.

Doña Rosalinda, con la confianza de una experta en el arte del descaro, respondió con una sonrisa inocente:

— ¡Oh, querido, he debido dejarlo en casa! Pero no se preocupe, lo pagaré en cuanto lleguemos a nuestro destino.

El revisor, más curioso que enfadado, decidió indagar un poco más. Se sentó frente a doña Rosalinda y le pidió que le contara su historia.

— Verá, joven, tengo dos hijos que viven en extremos opuestos de este maravilloso país. Mi corazón de madre no puede resistir la distancia, así que decidí hacerles una visita sorpresa — explicó doña Rosalinda con un tono teatral.

— ¿Y se coló en el tren porque no tenía dinero? — preguntó el revisor, con una ceja alzada.

— Exactamente, joven. El amor de una madre no entiende de billetes ni tarifas. Además, ¿quién puede resistirse a unas galletas caseras? — añadió doña

Rosalinda, ofreciendo una galleta al revisor.

El revisor, más conmovido por la historia que por el sabor de las galletas, decidió tomar una decisión poco convencional.

— Mire, señora, entiendo su situación. Viajar largas distancias para ver a sus hijos es loable. Le haré un trato: le permitiré continuar su viaje, siempre y cuando prometa que la próxima vez comprará un billete. Nuestra compañía ofrece buenos descuentos para las personas mayores.

— ¡Oh, joven, es usted un ángel en uniforme! ¡Lo prometo! — exclamó doña Rosalinda, emocionada.

Así, doña Rosalinda continuó su viaje, disfrutando de las vistas y compartiendo galletas con el revisor cada vez que este pasaba por su compartimiento. Al llegar a la primera ciudad, se despidió del amable revisor con gratitud y una última galleta.

El revisor, guardó aquella galleta en el bolsillo y la comió más tarde mientras contaba a sus colegas la historia de aquella intrépida anciana que, con astucia y un toque de encanto, se coló en el tren para abrazar a sus seres queridos.

Juegos de mesa

Don Cándido López, un hombre de setenta y tres años con una larga carrera como mecánico, decidió jubilarse. Sus manos, hábiles con las llaves y las tuercas, ya merecían un descanso. Al despedirse de su taller, sus amigos y colegas le regalaron una caja grande y colorida que contenía un sinfín de juegos de mesa.

Al principio, Don Cándido estaba un poco escéptico. "¿Juegos de mesa? ¿Para qué quiero eso?" se preguntaba mientras hojeaba la caja. Pero su nieto, un niño de diez años con ojos llenos de emoción, lo convenció para probar uno.

El primer juego fue "El Juego de la Oca". Don Cándido se sentó con su nieto en la mesa, dispuesto a descubrir el misterioso mundo de los juegos de mesa. Sin embargo, algo en su mente hizo clic. Las fichas, los dados, las reglas... todo le resultaba tan fascinante como una complicada transmisión de automóvil.

Después de unas pocas partidas, Don Cándido no solo entendía "El Juego de la Oca", sino que se había vuelto adicto. Comenzó a organizar torneos familiares, convirtiendo las reuniones en animadas competiciones.

Sus amigos, acostumbrados a verlo con una llave inglesa en la mano, se sorprendían al verlo tan entusiasta con los dados y las cartas.

Pronto, la colección de juegos de Don Cándido creció exponencialmente. Compró desde clásicos como el Monopoly hasta juegos más sofisticados como el Catan. Sus amigos, conocedores de su nueva pasión, le regalaban juegos cada vez más elaborados, hasta que su sala de estar se convirtió en una especie de museo del entretenimiento de mesa.

Sin embargo, la verdadera revolución llegó cuando Don Cándido descubrió el ajedrez. Un juego milenario, lleno de estrategia y complejidad. Pero, por algún motivo, su mente no podía resistirse a dejar de lado las reglas del Juego de la Oca. Así que, en medio de una partida con su amigo Paco, soltó una risa estruendosa y dijo:

"Don Paco, creo que deberíamos mover nuestras piezas de forma diferente y cambiar las reglas. ¡Que gane quién lleve al Rey al centro del tablero!"

Don Paco lo miró perplejo, luego soltó una carcajada. "Don Cándido, esto es ajedrez, no 'La Oca'. Pero, ¿sabe qué? ¡Probemos! Esto podría ser divertido".

Y así, el ajedrez según Don Cándido se volvió una sensación entre sus amigos y familiares. Los peones se movían en zigzag, los caballos saltaban en forma de "I" y el rey se desplazaba hacia adelante y hacia atrás, saltando, como si estuviera en una carrera de relevos. Nadie entendía las reglas, pero todos se divertían.

Don Cándido no se detuvo ahí. Comenzó a inventar juegos propios, fusionando conceptos de diferentes cajas. Creó el "Monopóker", donde se compraban propiedades con fichas de póker, y el "Risk de la Oca", donde las batallas se decidían en función del ejército que ganaba el territorio central del juego.

Sus nietos, amigos y hasta su esposa lo seguían en estas extravagancias lúdicas y todos intentaban comprender las reglas de los juegos de Don Cándido.

Un día, un periodista local se enteró de las peculiares creaciones de Don Cándido y decidió entrevistarlo. Cuando le preguntaron sobre sus juegos, él respondió con una sonrisa:

"La vida es como un juego, ¿no? Y yo solo quiero divertirme mientras dure. Si las reglas se mezclan un poco en el camino, ¿quién dice que no podemos disfrutarlo igual?".

El rompecabezas

La señora Agatha Thompson tenía una memoria algo olvidadiza. A sus ochenta y cuatro años se le empezaban a olvidar cosas cómo qué había comido o dónde estaban sus pastillas. Su médico, el Dr. Percival Higgins, le recomendó una serie de actividades mentales para mantener su mente ágil. Entre ellas, sugirió algo tan simple como montar rompecabezas.

Agatha, siempre dispuesta a probar cosas nuevas, se lanzó de cabeza al mundo de los rompecabezas. Comenzó con los pequeños, pero rápidamente se encontró con que los de mil piezas no eran un desafío suficiente. Su pasión por los rompecabezas creció hasta niveles insospechados y un día decidió comprar un monstruo de 50.000 piezas.

Apenas llegó a casa con su adquisición, su esposo, Harold, un hombre de pelo canoso y espeso bigote, la miró con asombro. "¡Agatha, has perdido el juicio! ¿Dónde planeas poner ese colosal montón de cartón?" Agatha sonrió con inocencia. "Oh, Harold, no te preocupes. Encontraremos un lugar para él. Será nuestro pequeño proyecto en pareja."

La realidad se hizo evidente cuando Agatha comenzó a armar el gigantesco puzle. Cajas y cajas de piezas ocupaban cada centímetro del comedor, y Harold no podía dejar de murmurar: "¿En qué momento se convirtió nuestra casa en un almacén de rompecabezas?"

Los días y las noches pasaron y el comedor se transformó en una jungla de montones de piezas dispersas. Harold, al borde de la desesperación, se preguntaba si su esposa había perdido completamente el sentido común. Una tarde, mientras intentaba disfrutar de su periódico, Agatha gritó desde la mesa:

"¡Harold, solo me queda una pieza! ¡Estoy a punto de completarlo!"

Harold lanzó un suspiro de alivio. "Finalmente, podré recuperar mi comedor."

Pero el destino, siempre juguetón, tenía otros planes. En el momento en que Agatha se inclinó para colocar la última pieza, su pequeño perrito, Sir Reginald, entró corriendo con la agilidad de un rayo y se apoderó de la pieza final.

Agatha dejó escapar un grito: "¡Reggie, malvado! ¡Devuélveme eso!"

Pero el travieso Sir Reginald corría por la casa, evitando hábilmente a Agatha, con la preciada pieza en su boca. Harold, al ver el caos que se desataba, exclamó: "¡Agatha, dile a ese demonio de cuatro patas que suelte eso antes de que me vuelva loco!"

Agatha, sin perder la calma, sacó una bolsa de chucherías para perro de la despensa. "Ven aquí, Reggie. Tengo algo para ti."

El perrito detuvo su huida y miró las golosinas con interés, pero no soltaba la pieza.

Harold observó asombrado cómo Agatha negociaba con el pequeño delincuente de cuatro patas. "¿En serio le estás dando chucherías para que devuelva una pieza de puzle?"

"Si eso es lo que se necesita, Harold, así será. ¡Reggie, no seas tan egoísta! Mira todas estas delicias que te ofrezco."

Sir Reginald, sin embargo, no estaba dispuesto a ceder fácilmente. Agatha intentó una variedad de tretas, desde distracciones hasta ofrecerle juguetes nuevos, pero Reggie mantenía la pieza en su boca como si fuera el tesoro más preciado.

Finalmente, después de una larga negociación, Sir Reginald depositó la pieza en las manos de Agatha.

"¡Lo logré, Harold! ¡Completo el puzle de 50.000 piezas!"

Harold, entre impresionado y exhausto, asintió. "Bien por ti, Agatha. Pero, por favor, ¿podemos volver a tener un comedor normal ahora?"

Agatha se rió con complicidad. "Claro, Harold. Pero, ¿qué te parece si compramos un puzle de 100.000 piezas la próxima vez?"

Centauros del desierto

En un pequeño pueblo llamado Villa Florida, vivía Don Horacio González, un anciano de setenta y nueve años cuya pasión por los westerns era tan feroz como un duelo al atardecer en el polvoriento Desierto de Mojave. Conocido por todos como "El Viejo Horacio", pasaba sus días sentado frente al televisor, absorbiendo cada cabalgada, cada disparo y cada diálogo áspero de los vaqueros de la pantalla.

El acontecimiento más esperado de la temporada estaba a punto de ocurrir: la boda de su nieta, Rosalía. Una celebración que reuniría a toda la familia, pero para Don Horacio, el dilema se cernía sobre el horizonte como una tormenta de arena en pleno mediodía.

El día de la boda coincidía con la emisión de su western favorito, "Centauros del Desierto". El mero pensamiento de perderse la oportunidad de ver por centésima vez a John Wayne cabalgando por el desierto le provocaba escalofríos más intensos que un sheriff enfrentándose a una banda de forajidos.

Ante este dilema, El Viejo Horacio decidió enfrentarse

a la situación con la astucia de un forajido avezado. Colocó su viejo teléfono móvil en el bolsillo de su chaqueta, estratégicamente ubicada al alcance de su mano. Equipado con auriculares y una mirada furtiva, se dirigió hacia la boda.

La ceremonia nupcial transcurría en la iglesia como un tranquilo amanecer en el rancho, con los invitados mirando con ternura a la radiante Rosalía. Sin embargo,

Don Horacio contaba los minutos que faltaban para la emisión de su amada película.

Cuando llegó el momento de los votos, Don Horacio, con ojos vidriosos, se puso discretamente sus auriculares y encendió su móvil. Con la habilidad de un pistolero consumado, esperó el momento adecuado para sumergirse en el mundo de "Centauros del Desierto".

Sin embargo, la tecnología, como una yegua indomable, no siempre obedece. En el momento culminante de la ceremonia, cuando la novia y el novio estaban a punto de sellar su amor con un beso, un rugido atronador se escapó del teléfono mçovil de Don Horacio. "¡Estás equivocado, Buck! ¡No puedes llevarme a la horca sin juicio!", resonó la voz de John Wayne, inundando la iglesia como si el mismísimo desierto se hubiera trasladado a la ceremonia.

Los invitados se miraron boquiabiertos, mientras que la novia y el novio, desconcertados, intentaron comprender lo que pasaba.

Don Horacio, con el rostro enrojecido y los auriculares enredados, trató de controlar la situación. "¡Es un malentendido! ¡No deberían confiar en ese tal Buck! ¡Ese tipo es más falso que una moneda de tres dólares!"

El sacerdote, un hombre con más experiencia en bautismos llenos de niños indisciplinados que en duelos al sol, entendió lo que pasaba y ordenó: "Señor González, ¿podría apagar eso, por favor?"

Don Horacio, visiblemente alterado, asintió y trató de ocultar su vergüenza tras un sombrero vaquero que había llevado para la ocasión.

El resto de la ceremonia transcurrió sin más interrupciones cinematográficas, pero el incidente dejó una marca imborrable en la familia González. El banquete nupcial tuvo como protagonistas los comentarios jocosos de los invitados sobre la anécdota que había provocado la obsesión con los westerns de Don Horacio.

Al final, Rosalía y su flamante esposo sonrieron, decididos a superar cualquier desafío que se les presentara, incluso si involucraba a un abuelo cuya lealtad a John Wayne rivalizaba con el amor que sentía por su familia.

El voluntario

Don Eugenio, un anciano de setenta y cinco años con una jubilación bastante aburrida, decidió darle un giro radical a su vida. En lugar de pasar sus días viendo programas de televisión sobre jardinería, se inscribió como voluntario en la protectora de animales local. Nunca imaginó que esto lo llevaría a convertirse en el defensor más inusual de los derechos de las aves.

Una tarde, mientras paseaba a un grupo de adorables cachorros de la protectora, Don Eugenio notó algo peculiar. El Ayuntamiento había colocado pinchos en todos los monumentos y edificios públicos para evitar que las aves se posaran en ellos. Don Eugenia, sintiendo una mezcla de indignación y compasión por las aves sin hogar, decidió tomar cartas en el asunto.

—¡Esto es un ultraje! —gritó, apuntando hacia uno de los monumentos—. ¡Las aves también tienen derechos! ¡No podemos convertir nuestra ciudad en un campo de batalla contra los pájaros!

Decidido a cambiar las cosas, Don Eugenio organizó una protesta pacífica en la plaza del pueblo. Pronto, un grupo heterogéneo de vecinos se unió a su causa.

Desde jóvenes entusiastas hasta abuelitas con paraguas, todos estaban indignados contra los métodos del municipio para controlar las aves.

Finalmente, el alcalde, un hombre de aspecto serio y peinado impecable, se vio obligado a recibir a Don Eugenio para escuchar sus quejas.

—Don Eugenio, entiendo que usted tiene inquietudes

—dijo el alcalde, intentando ocultar su incomodidad—. Pero los pinchos son necesarios para mantener limpios nuestros monumentos.

—¡Limpios, dice usted! Pero ¿a qué precio? —exclamó Don Eugenio, agitando su bastón—. Las aves tienen tanto derecho a disfrutar de la ciudad como nosotros. ¡Queremos un lugar donde puedan descansar sin temor a ser apuñaladas!

El alcalde, sintiéndose atrapado entre la presión ciudadana y la defensa de la limpieza pública, prometió reconsiderar la situación y le dijo a Don Eugenio que en unos días le daría su respuesta. Don Eugenio abandonó el despacho del alcalde con la esperanza de haber logrado algo.

Sin embargo, la vida tiene en ocasiones formas extrañas de manifestarse. El día que Don Eugenio se preparó para visitar nuevamente al alcalde, ataviado con su mejor traje y un cartel que decía "Por una ciudad sin pinchos", la ironía del destino le jugó una broma cruel. Mientras avanzaba hacia el ayuntamiento, una paloma que estaba en el borde de un tejado soltó su carga justo en el hombro de Don Eugenio, dejando una mancha que rivalizaba con un cuadro abstracto.

—¡Malditas aves! —gritó Don Eugenio, intentando limpiar el desastre con un pañuelo.

Cuando finalmente Don Eugenio llegó al despacho del alcalde, con una mezcla de enojo y resignación, el alcalde no pudo evitar sonreír.

—Don Eugenio, parece que las aves tienen una forma curiosa de expresar su opinión —dijo el alcalde, conteniendo la risa—. Pero, como hombre de palabra, estoy dispuesto a discutir la eliminación de los pinchos de los tejados.

Don Eugenio, con un traje manchado, pero con su dignidad intacta, asintió con firmeza.

—Muy bien, señor alcalde. Pero antes de que tomemos decisiones precipitadas, reflexionemos —propuso, con una sonrisa —. ¡Las palomas tienen derecho a descansar, pero los peatones también lo tienen a caminar por la calle sin temor a sufrir un bombardeo aéreo! ¿Qué le parecería construir zonas de descanso para los pájaros lejos de los bordes de los tejados?

La bufanda

La tranquila localidad de Riscos del Soto siempre fue conocida por sus soleadas calles y sus ciudadanos de buen humor, pero todo cambió cuando la señora María decidió apuntarse a una clase de punto en el Centro Cívico.

La señora María, con sus 80 años recién cumplidos, caminaba por las calles como si llevara el secreto de la felicidad colgado al cuello. Su entusiasmo era tal que se había propuesto aprender a tejer para, nada más y nada menos, confeccionar la bufanda más larga del mundo y así obtener un codiciado récord Guinness.

La primera clase de punto en el Centro Cívico fue la comidilla en todos los comercios locales. La señora María se enredaba con las agujas, confundía el derecho con el revés, y sus intentos de hacer un punto de media se asemejaban más a una red de pesca que a una labor artesanal. Sin embargo, su entusiasmo no conocía límites.

—¡Esto es más complicado que una receta de soufflé! —exclamó la señora María, mientras intentaba desenredar la madeja que tenía en sus manos.

—Tranquila, señora María, todo lleva su tiempo. Pronto se convertirá en una experta tejedora —consoló la instructora de la clase, intentando no reírse ante la escena.

Con el paso de las semanas, la señora María mejoró en sus habilidades de punto y logró hacer una bufanda decente. Su determinación y espíritu positivo contagiaron al resto de la clase, y ninguna de las alumnas más jóvenes quería quedarse atrás.

No obstante, el buen ambiente en Riscos del Soto se tornó tenso cuando la señora María anunció su intención de confeccionar la bufanda más larga del mundo y presentarla al libro Guinness de los récords. Las demás señoras del pueblo, lejos de sentirse inspiradas, empezaron a murmurar entre ellas.

—¡Pues yo también quiero el récord! —declaró la señora Petunia, una anciana de pelo plateado que nunca había tejido una bufanda en su vida.

Y así comenzó la guerra de las bufandas. La señora Petunia, con su aguja en mano, se propuso competir con la señora María por el título de la bufanda más larga del mundo. Las dos ancianas se enzarzaron en una competición feroz, tejían día y noche, y las agujas chocaban como espadas en un duelo medieval.

Pero la señora María pronto descubrió que sus esfuerzos nocturnos no daban fruto. Cada mañana, al llegar al Centro Cívico, encontraba su bufanda más corta de lo que recordaba.

—¿Qué diantres está sucediendo con mi bufanda? —se preguntaba la señora María, perpleja.

Decidida a resolver el misterio, la anciana decidió pasar una noche en vela, escondida detrás de una cortina en el Centro Cívico. Y así fue como descubrió a la señora Petunia, aguja en mano, deshaciendo sigilosamente los puntos de su bufanda.

—¡Pero Petunia¡, ¿qué estás haciendo? —exclamó la señora María, saliendo de su escondite.

—Lo siento, María, pero es una competición. Solo puede haber una ganadora —respondió la señora Petunia con seriedad.

De pronto las dos ancianas empezaron a reír a carcajadas. Las dos habían entendido al mismo tiempo lo absurdo de su competición.

Y así, Riscos del Soto volvió a su apacible normalidad con dos ancianas tejedoras que, lejos de competir, decidieron unir sus ya largas bufandas para crear la más larga del mundo. Tras recibir el premio Guinness las dos se convirtieron en amigas inseparables.

La multa

El bueno de Baldomero Cienfuegos, conocido por todos como el abuelo Baldo, decidió, a sus respetables 82 años, que era hora de ponerse al día con las nuevas tecnologías. Armado con su bastón y su gorra a cuadros, se presentó entusiasmado en el taller de informática organizado por el Ayuntamiento de la ciudad de San Job, convencido de que conquistaría el mundo digital en un abrir y cerrar de ojos.

—Buenas tardes, señor Cienfuegos. Estoy encantada de que haya decidido unirse a nosotros en este viaje hacia el mundo de la informática —le saludó la joven instructora del taller, con una sonrisa tranquila que reflejaba una paciencia digna del santo que daba nombre a la ciudad.

El abuelo Baldo, emocionado y confundido al mismo tiempo, asintió con la cabeza como si entendiera de qué estaban hablando. Pronto se encontró frente a un ordenador.

—Ahora, señor Cienfuegos, solo tiene que hacer clic aquí para abrir el navegador. Es como abrir un libro, pero en lugar de páginas, son pestañas.

El abuelo Baldo miró el ratón con desconfianza, como si fuera una criatura exótica que pudiera morderle. Después de varios intentos fallidos, finalmente logró abrir el navegador y, tras muchos clics, empezaron a surgir ante él miles de pantallas distintas que le pedían contraseñas que él rellenaba con lo primero que se le ocurría.

—¡Vaya, esto es más emocionante de lo que pensaba!

—exclamó, sin darse cuenta de que había entrado accidentalmente en la web de la Hacienda Municipal.

Después de unos minutos de exploración al azar, el abuelo Baldo se topó con una pantalla que le pareció sorprendentemente similar a las multas de tráfico. Sin entender del todo lo que estaba haciendo, hizo clic en un botón que decía "Enviar a todos los ciudadanos". Y así, sin querer, desató una tormenta digital.

Al día siguiente, el caos reinaba en San Job. Los vecinos, incluso aquellos que no poseían automóvil, recibieron en sus correos electrónicos multas de tráfico absurdas por infracciones que jamás cometieron. La indignación se apoderó de la ciudad, y una manifestación se organizó frente al Ayuntamiento.

—¡Este alcalde nos quiere sacar hasta el último céntimo! ¡Es un atraco! —gritaba doña Gertrudis, agitando una multa de aparcamiento que habían puesto a su carrito de la compra como si fuera la bandera de una revuelta.

El abuelo Baldo, que hasta ese momento había ignorado la magnitud de su error, se dio cuenta de que había sido el desencadenante de aquella tormenta y como nunca había sido cobarde decidió ponerse frente de la multitud y explicar que él era el culpable.

—¡Señor Cienfuegos, explíquese! ¿Qué tiene que decir sobre estas multas absurdas que nos llegaron a todos? —exigió don Ernesto, el panadero del pueblo.

—Oh, yo, eh, no quería… —titubeó el abuelo Baldo bajo la presión de la multitud.

En ese momento, la instructora del taller de informática llegó al rescate.

—Señores y señoras, por favor, déjenme explicar. Parece que hubo un pequeño malentendido en el taller de informática. El señor Cienfuegos no quería enviar multas, simplemente se coló en la red equivocada y tocó lo que no debía de tocar.

La multitud se quedó en silencio por un momento, antes de estallar en risas.

—¿Así que todo esto fue un error de un abuelo despistado? —preguntó doña Gertrudis entre risotadas.

El abuelo Baldo, aliviado al comprender que no sería linchado por la multitud, se rascó la cabeza y sonrió.

—Bueno, al menos he aprendido algo importante. La próxima vez que quiera conquistar el mundo digital, me aseguraré de no meterme donde no debo.

La exposición

Pedro de Alcántara y Martínez, de 85 años, era un amante declarado de los clásicos del arte. Su hijo, un entusiasta de las nuevas tendencias, había logrado persuadirlo para que abandonara temporalmente su refugio de Rembrandts y Van Goghs, y asistiera a una feria de arte contemporáneo que prometía "experiencias visuales únicas e inolvidables".

—¡Padre, esto será una aventura! Verá cosas que jamás imaginó —le había asegurado su hijo mientras lo arrastraba hacia el desconocido mundo de las nuevas tendencias.

El señor de Alcántara, con su sombrero fedora y bastón en mano, contemplaba incrédulo las extrañas obras de arte que le rodeaban. Manchas de pintura, objetos dispuestos sin aparente lógica y esculturas que desafiaban la comprensión humana. Sintió una profunda añoranza por las pinturas clásicas y, desesperado, buscó refugio en lo que le pareció más familiar: el cuarto de baño.

Desconcertado, empezó a buscar por la sala un baño de caballeros y le pidió ayuda a un señor con aspecto de Don Quijote quien le indicó que el baño estaba al

fondo a la derecha. Una vez "en el fondo a la derecha", pero se encontró con un dilema existencial al enfrentarse a dos puertas: una con un símbolo que parecía un híbrido entre una letra "A" y un triángulo, y otra "A" con algo que se asemejaba a un círculo intercalado con líneas curvas.

—¿Dónde diablos estará el baño de caballeros en este lugar de dementes? —se preguntó, sintiendo una urgencia que no podía ser ignorada.

Optó por la puerta con el símbolo "A" y el triángulo y se encontró en lo que parecía ser una sala de exposición aún más abstracta que las anteriores. Desesperado, murmuró para sí mismo:

—Esto es como un acertijo. El arte nunca debió ser tan complicado.

En medio de su desesperación, una joven empleada, vestida con una camiseta que llevaba impresa una mancha de pintura que podía o no ser parte de la exposición, se acercó al señor de Alcántara.

—¡Oh, disculpe! Parece que se ha perdido. ¿Necesita ayuda?

—Mi joven dama, estoy en una búsqueda angustiosa de un lugar tan básico como el baño. ¿Acaso nadie en este lugar entiende el arte de señalizar correctamente?

La empleada, con una risa amable, le explicó pacientemente cómo interpretar los símbolos abstractos de las puertas.

—El "A" es una sala especial para "Artistas" y el otro "A" es una sala para "Asistentes". ¿Ve? Simple. Cada una tiene su propio baño.

—¡Ah! Entonces, ¿cuál es el baño para los visitantes?

—¡Ah, eso es otra "A" distinta, la de "Ajenas"! Pero no se preocupe, puedo guiarlo. ¡Sígame!.

Siguiendo a la empleada, el señor de Alcántara finalmente llegó al baño para visitantes que, efectivamente, estaba señalizado con una gran "A". Aliviado, exclamó:

—Esto es más complicado que intentar descifrar un cuadro de Dalí.

La joven empleada sonrió y le indicó el camino de vuelta a la feria de arte. Agradecido, el anciano decidió que, aunque apreciaba esa dosis ocasional de modernidad, su corazón pertenecía sin duda a los clásicos.

Tras salir del baño abandonó la feria con la firme convicción de que, a su edad, no hay lugar más apacible que los maestros de antaño. Y así, con su bastón golpeando el suelo en señal de retirada, se alejó del extravagante mundo del arte contemporáneo.

Comida en el campo

El señor Eustaquio Gutiérrez, un octogenario con la energía de un adolescente y el entusiasmo de un niño en la víspera de Navidad, decidió organizar una excursión al campo para él y sus amigos jubilados. Su esposa, Doña Gertrudis, no compartía su entusiasmo y a regañadientes le preparó una comida campestre que haría las delicias de todos.

La mañana de la excursión llegó y el grupo de ancianos entusiastas se congregó en la puerta de la casa de los Gutiérrez. El señor Gutiérrez, vestido con pantalones cortos, calcetines altos y una gorra que decía "Soy un todoterreno", dirigía la expedición con mano firme.

—¡Amigos, hoy será un día inolvidable en la naturaleza! ¡Vamos a disfrutar del aire puro y de una comida para chuparse los dedos! —anunció con un brillo en los ojos que podría rivalizar con el sol de mediodía.

Los ancianos, con sus sillas plegables y cestas de picnic, subieron al autobús que el señor Gutiérrez había alquilado para la ocasión. El vehículo, más antiguo que el propio conductor, temblaba y se quejaba en cada bache en el camino.

Al llegar al prado escogido, todos desembarcaron con la misma agilidad que una manada de elefantes bailando ballet. Doña Gertrudis, sin perder el ritmo, desplegó una mesa que rápidamente se llenó de deliciosas viandas.

—¡Nos vamos a poner morados, amigos! —exclamó el señor Gutiérrez, frotándose las manos con anticipación.

La comida campestre estaba compuesta por una gigantesca tortilla de patatas, empanadas, bocadillos y una ensalada que desafiaba las leyes de la física por su tamaño. Los ancianos, a pesar de sus dentaduras postizas y sus achaques, miraron la comida como si hiciera una semana que no habían probado ni un bocado.

—Doña Gertrudis, esta tortilla podría alimentar a un regimiento —comentó uno de los ancianos, mientras se contenía de lanzarse sobre las delicias gastronómicas.

—¡Es que en el campo se necesita energía, amigo! —respondió el señor Gutiérrez, riendo—. ¡Pero antes vamos a dar un paseo por el bosque para contemplar las maravillas de la naturaleza!

A regañadientes todos siguieron al señor Gutiérrez y dejaron la mesa en el prado, triste y sola. Todos tenían prisa por comer por lo que intentaron que el paseo en medio del bosque fuera lo más breve posible.

Al regresar al prado, se encontraron con una escena sacada de una película de ciencia ficción: la mesa de la comida estaba cubierta por un ejército de hormigas marchando en formación militar sobre su festín.

—¡Mis empanadas! —gritó uno de los ancianos, horrorizado.

—¡Gertrudis, las hormigas se están dando un festín con nuestra comida! —exclamó el señor Gutiérrez, levantando los brazos desesperado.

Intentaron limpiar la comida, espantando a las hormigas con las manos y pisoteandolas, pero era como luchar contra un tsunami con una escoba. Las hormigas avanzaban implacables.

—¡No hay manera! ¡No hay forma de comerse esto! —declaró el señor Gutiérrez, resignado, mirando con pena la deliciosa tortilla llena de bichos.

Doña Gertrudis, con la paciencia de una santa, sugirió la única opción posible.

—Creo que no tenemos otra alternativa que ir al restaurante del pueblo. Al menos allí las hormigas no podrán seguirnos.

El grupo, derrotado, pero aún con el humor intacto, subió al autobús tambaleante y se dirigió al pueblo en busca de una comida que no estuviera invadida por insectos voraces.

En el restaurante, el señor Gutiérrez, con sarcasmo dijo:

—¡Al menos aquí tienen derecho de admisión y no dejan entrar a las malditas hormigas!

El fotógrafo

Don Clemente, un anciano con más arrugas que una sábana mal doblada, había dedicado toda su vida a capturar momentos felices en la vida de los demás como fotógrafo de bodas, bautizos y comuniones. Su pequeño estudio, repleto de retratos de parejas sonrientes y bebés con cara de susto, le daba cierta satisfacción, pero su corazón siempre anhelaba algo más, algo salvaje y libre como un león en la sabana africana.

Cada día, sin falta, Don Clemente se ataviaba con su inseparable cámara y se lanzaba a la jungla urbana en busca de ese instante mágico que lo catapultaría al prestigio de las revistas ilustradas de naturaleza. Sin embargo, su barrio no ofrecía leopardos ni rinocerontes en libertad, solo vecinos paseando perros y niños gritando en el parque.

Un día, mientras intentaba capturar el vuelo de una paloma desde un banco del parque, se encontró de repente en medio de un atraco. Dos individuos con pasamontañas amenazaban al dueño de una tienda de antigüedades con una pistola de juguete.

—¡Maldición! —exclamó Don Clemente, ajustándose las

gafas sobre la nariz—. Esto sí que es un tema interesante.

Sin dudarlo, levantó su cámara y comenzó a disparar. No con balas, por supuesto, sino con el obturador de su vieja, pero confiable cámara fotográfica.

—¡Oye, abuelo, ¿qué haces?! —gritó uno de los atracadores al ver al anciano disparando a diestro y siniestro.

—¡Estoy capturando la vida en acción, jóvenes delincuentes! —respondió Don Clemente con una sonrisa.

Los atracadores, desconcertados por la actitud del fotógrafo octogenario, intentaron huir, pero Don Clemente no dejó de disparar, haciendo clic tras clic mientras los delincuentes desaparecían tras una esquina.

Con el corazón latiendo a mil por hora, el anciano se dirigió al periódico local para ofrecer sus exclusivas instantáneas.

—Aquí tienes, chico. Una primicia de las buenas. ¡Un auténtico drama urbano en imágenes! —anunció Don Clemente, entregando su cámara al joven editor del periódico.

Al día siguiente, la ciudad se despertó con la sorpresa de ver las fotografías de Don Clemente en todas las portadas de los periódicos. Las redes sociales se inundaron de comentarios elogiando la valentía y el talento del veterano fotógrafo.

Don Clemente, convertido en una sensación, fue entrevistado en televisión y hasta le ofrecieron un contrato para documentar la vida en la ciudad.

—¿Quién lo iba a decir, Don Clemente? De fotógrafo de bodas a héroe urbano. ¡Y todo gracias a su cámara! —comentó un periodista con sarcasmo.

—La vida es una sorpresa constante, joven. Siempre hay oportunidades para capturar el momento adecuado, ya sea en una boda o en un atraco, pero hay que estar en el lugar y no en casa o en un despacho. —respondió el anciano con una sonrisa pícara.

La partida

El jueves era un día sagrado para Don Ramón, un anciano de pelo blanco y risueño bigote que, como un reloj suizo, no faltaba a su cita semanal con la baraja y sus amigos jubilados. Su esposa, Doña Amalia, le permitía estas escapadas siempre y cuando respetara una regla de oro: no apostar dinero. Las partidas se jugaban por puro entretenimiento, y las apuestas eran inofensivas lentejas que servían para condimentar los guisos de la siguiente semana.

Pero aquel jueves fue diferente. La partida estaba particularmente animada, y los ancianos, con sus barbas canosas y narices afiladas como naipes, decidieron subir la apuesta. Don Ramón, dejándose llevar por el espíritu de la competencia, decidió arriesgar algo más sustancial.

—¿Qué tal si le pongo en juego mi dentadura postiza? —propuso, con una sonrisa traviesa.

Hubo un silencio tenso en la mesa, roto por la risa estruendosa de los demás.

—¡Don Ramón, eso sí que es apostar en grande! —exclamó Don Manuel, su amigo de toda la vida—. ¡Lo veo

y ahí va mi dentadura!

Y así, la partida tomó un giro inesperado. Las cartas volaban sobre la mesa como hojas en una tormenta, y los jubilados competían por las dentaduras con la misma intensidad que si estuvieran en un casino de Las Vegas.

Para sorpresa de todos, Don Ramón, con una racha de suerte que rayaba en lo mágico, ganó la partida y se llevó consigo la dentadura postiza de Don Manuel.

—¡Espero que no tengas que usarla para comer lentejas, Manuel! —bromeó Don Ramón, mostrando su dentadura recién adquirida con orgullo.

Esa noche, de vuelta a casa, Don Ramón abrió la puerta con una sonrisa tan grande como su nueva dentadura. Sin embargo, al entrar en la cocina, se encontró con la mirada fulminante de Doña Amalia.

—¿Qué demonios es eso, Ramón? —preguntó, señalando la dentadura que llevaba en la mano con desaprobación.

—Oh, sólo es un premio de la partida de cartas, mi amor. Nada de qué preocuparse —respondió Don Ramón, tratando de minimizar la situación.

Pero la sorpresa de su esposa no se limitó a la dentadura. Al revisar el botín que traía consigo Don Ramón descubrió que también se había llevado la peluca de Don Javier, el bastón de Don Vicente, y hasta las zapatillas de Don Agustín.

—¿En qué clase de partida de cartas te has metido, Ramón? —inquirió su esposa Amalia, indignada.

—Fue solo por diversión, cariño. Nadie esperaba perder sus pertenencias —se defendió Don Ramón, intentando calmar la situación.

Pero Doña Amalia no estaba dispuesta a tolerar semejante disparate. Obligó a su esposo a devolver cada objeto, y así, uno por uno, Don Ramón se presentó en las casas de sus amigos para restituir sus pertenencias.

—¡Don Ramón, menos mal que me traes mis zapatillas! ¡Mis pies estaban a punto de helarse! —exclamó Don Agustín, entre risas.

—¿Y mi peluca? ¡No quiero que me confundan con un señor mayor y calvo! —se quejó Don Javier, agitando sus escasos cabellos, en el momento que apareció por su casa.

La odisea de devolver los objetos personales de sus amigos llevó a Don Ramón a recorrer el vecindario. Al final del día, con una mezcla de alivio y vergüenza, regresó a casa y se encontró con su esposa.

—¿Aprendiste la lección, Ramón? —preguntó Doña Amalia, con una ceja alzada.

—Sí, mi amor. La próxima vez, apostaré con algo más sensato. Quizá con algo de dinero… —respondió Don Ramón, con una sonrisa bobalicona.

Aquella noche Don Ramón durmió en el sofá y su esposa tardó un mes en dirigirle la palabra.

La biblioteca

Doña Matilde siempre había sido una dama respetable, una anciana pulcra y educada que paseaba por el vecindario con su bastón y una mirada que exigía respeto. Pero, detrás de esas gafas de montura de carey, se ocultaba una devoradora de novelas picantes y thrillers sangrientos que harían sonrojar hasta a un camionero. Un día, la sed de nuevas lecturas la llevó a la biblioteca municipal.

— ¡Hola, Matilde! —exclamó desde el otro extremo de la sala doña Margarita, una amiga de toda la vida.

Matilde, emocionada de encontrarse con otra alma lectora, se apresuró a cruzar la sala hasta llegar a doña Margarita.

— ¿Qué hace por estos lares, Margarita? —preguntó Matilde, ajustándose los anteojos.

— Oh, solo vine a alimentar mi alma con las maravillas de la literatura —respondió Margarita con una sonrisa cómplice.

Las dos damas se sumergieron en el océano de libros, hojeados con reverencia y respeto. Hasta que, de re-

pente, Margarita rompió la solemnidad con una risita leve.

— ¡Oh, Matilde! Tienes que escuchar este chiste que me contó mi nieto. ¿Cuánto pesa un oso polar?

Matilde, intrigada, respondió con cautela:

— No lo sé, ¿cuánto pesa?

— Lo suficiente para romper el hielo. ¡Ja, ja, ja!

Matilde, conteniendo la risa, miró nerviosamente a la

bibliotecaria, una mujer de edad indefinida con una expresión que sugería que no estaba para bromas.

—¡Basta, Margarita! —dijo Matilde—. La señorita de allí nos va a regañar.

Pero la tentación era demasiado fuerte, y Margarita no pudo resistirse a contar otro chiste.

Tras escucharlo, Matilde soltó una carcajada incontrolable, mientras la bibliotecaria avanzaba hacia ellas con una mirada amenazadora.

— Señoras, esto es una biblioteca, y deben comportarse con respeto —gruñó la bibliotecaria.

— Lo siento, señorita, es solo que Margarita tiene un sentido del humor que no puede contener —se disculpó Matilde.

— ¡Pues contenganse! Una más y las expulso —advirtió la bibliotecaria.

Ante la amenaza, las ancianas decidieron comunicarse por escrito. Sin papel a la vista, optaron por usar las páginas de los libros como su improvisado medio de expresión. Escribían chistes, anécdotas y comentarios, en los márgenes de los libros como mensajes secretos.

La bibliotecaria, que veía como los libros iban de una mesa a la otra, temió lo peor y acudió a revisar los libros. Al instante descubrió las notas y se enfureció.

— ¡Esto es inaceptable! —gritó, sosteniendo uno de los libros profanados.

Matilde y Margarita, al darse cuenta de que habían sido descubiertas, intentaron disculparse.

— No queríamos causar problemas, señorita. Solo estábamos divirtiéndonos un poco —dijo Margarita con la sonrisa de no haber roto nunca un plato.

— Diviértanse en otro lugar, no en mi biblioteca —respondió la bibliotecaria, señalándolas hacia la salida.

Matilde y Margarita obedecieron resignadas y salieron del lugar.

— Creo que tendremos que buscar otro lugar tranquilo para nuestras lecturas, Margarita —dijo Matilde, riendo mientras se alejaban juntas.

— Conozco una iglesia muy cerquita de aquí y el párroco es buena persona —le respondió Margarita a modo de sugerencia.

Ejercicios de memoria

Doña Carmen, una anciana con más arrugas que un mapamundi antiguo, visitó a su médico para un chequeo de rutina. Después de revisar sus análisis, el médico le recomendó ejercitar la memoria para mantenerse mentalmente activa.

—Haga sudokus, crucigramas, algo que estimule su cerebro, doña Carmen —aconsejó el médico.

Carmen, con un gesto de resignación, se dirigió a la librería en busca de un libro de pasatiempos. Después de una exhaustiva búsqueda, encontró uno titulado "Mente Ágil: Ejercicios para la Memoria". Lo ojeó y se topó con una sección de sudokus y crucigramas. No le pareció muy emocionante, pero decidió darle una oportunidad.

Pasaron los días, y Carmen, sentada en su sillón, se enfrentó a los desafíos numéricos y lingüísticos del libro. Sin embargo, pronto se aburrió de las cifras y las palabras cruzadas. "Esto no tiene aplicación práctica", pensó.

Entonces, Carmen ideó su propio plan para ejercitar la

memoria. Cada semana, se propuso visitar todas las tiendas del barrio y anotar los precios de los productos básicos. Después de un mes, sabía de memoria cuánto costaba cada artículo en cada tienda.

Un día, mientras paseaba a su perro, una vecina se acercó a Carmen.

— Disculpe, doña Carmen, ¿sabe dónde puedo encontrar patatas a buen precio?

Carmen, con una sonrisa, respondió:

—Claro, en la tienda de don Pepe, en la esquina. Son las más baratas del barrio.

La vecina, asombrada, le agradeció y se apresuró hacia la tienda recomendada. Carmen, satisfecha con su habilidad de memoria aplicada, continuó con sus compras.

Poco después, la misma vecina, ahora con una libreta en la mano, se le acercó nuevamente.

—Doña Carmen, ¿puede decirme en qué comercios encontrar los mejores precios de la leche, el pan y las zanahorias?

Carmen, intrigada por la curiosidad de la vecina, compartió la información detallada, aunque no le dio más importancia.

Pronto, más vecinos acudieron a Carmen en busca de sus detallados informes de precios. Primero fueron unos pocos, pero muy pronto la mujer se encontró rodeada de personas con libretas, ansiosas por conocer donde conseguir la compra más barata.

—Doña Carmen, ¿cuánto cuesta el detergente en la

tienda de doña Rosa?

— ¿Y el aceite de oliva en la tienda de la esquina?

— ¿Dónde consigo el mejor precio para el papel higiénico?

Carmen, convertida en el oráculo local del ahorro, respondía con paciencia a cada pregunta. Sin embargo, la tranquilidad de Carmen se desvaneció cuando un grupo de niños, despiertos y avispados, la rodeó en la calle.

— ¡Doña Carmen, queremos saber dónde comprar las golosinas más económicas!

Carmen, viendo que su pacífica vida se descontrolaba, decidió poner en ese momento fin a su sistema para mantener fresca la memoria. Lo anunció a la multitud que la rodeaba y ante ellos rompió la libreta en la que apuntaba sus pesquisas por las tiendas del barrio. Luego se fue a casa.

— Al menos, la memoria sigue funcionando —se consoló mientras cerraba la puerta, dejando atrás a un grupo de niños confundidos y a vecinos con la libreta en la mano, preguntándose cómo sabrían ahora los mejores precios sin la ayuda de doña Carmen.

El pintor

El pequeño pueblo de Villar de la Morena estaba acostumbrado a la calma y la monotonía, hasta que un día, el anciano Pedro Pérez decidió darle un giro inesperado a su vida. Con sus ochenta y cinco años a cuestas y un espíritu aventurero que le cosquilleaba desde lo más profundo de su ser, Pedro decidió apuntarse a un curso de dibujo por internet.

La idea le vino después de que su gato, Siro, le dedicara una mirada despectiva mientras él intentaba plasmar sus habilidades artísticas en un cuaderno. "Necesito mejorar", pensó Pedro, "y qué mejor manera que aprender de los expertos en línea".

Así que, con su viejo ordenador chirriando como un ratón asustado, Pedro se sumergió en el fascinante mundo del dibujo digital. Descubrió que podía aprender desde la comodidad de su sillón favorito, sin tener que moverse ni un centímetro. Aquello era música celestial para sus huesos cansados.

Después de semanas de lecciones sobre proporciones, sombreado y técnicas avanzadas con el lápiz virtual, Pedro se sentía preparado para poner en práctica sus

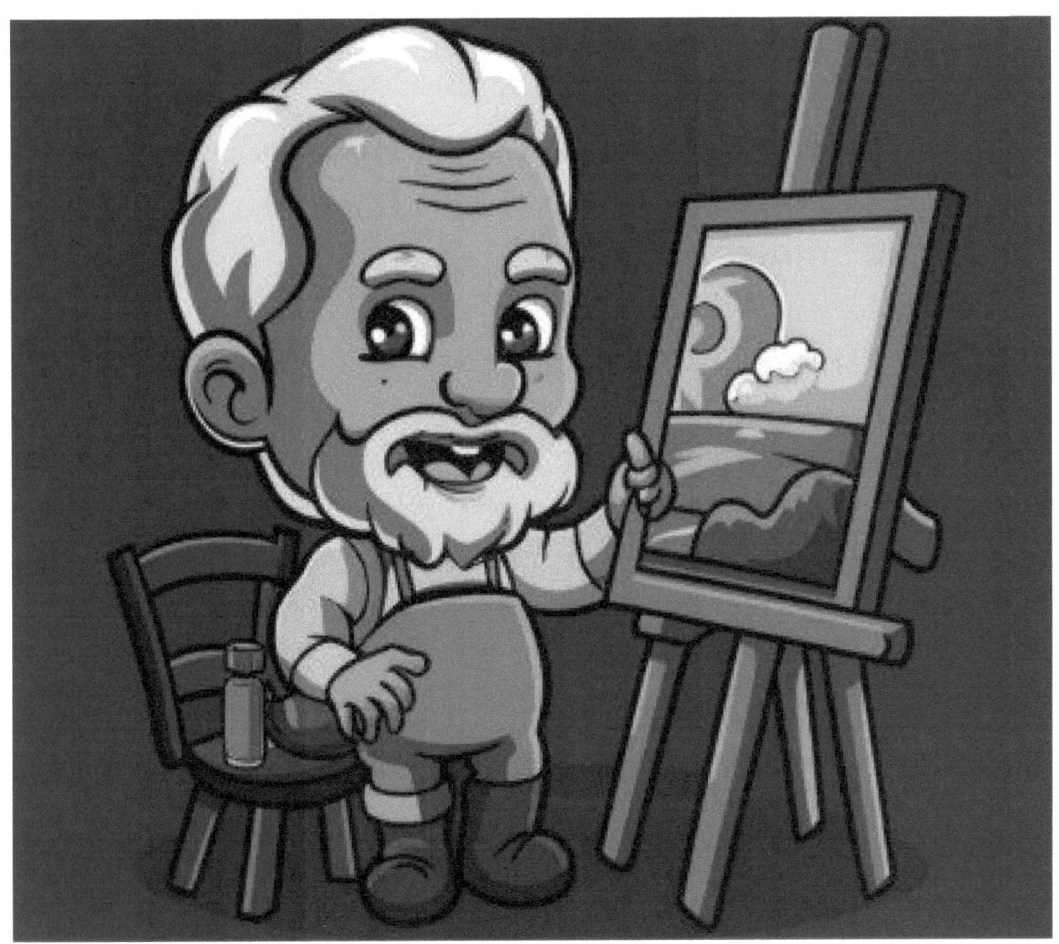

recién adquiridas habilidades. Y qué mejor manera de hacerlo que ofreciéndose para retratar a sus amigos del pueblo.

Con gran entusiasmo, Pedro convocó a sus amistades: Mila, la dama de la tienda de ultramarinos; Alberto, el carnicero jubilado; y Ethel, la entusiasta presidenta del club de jardinería. Les prometió retratos impresionantes, pero con una condición: no podrían ver sus obras hasta la gran exposición que planeaba organizar en la plaza del pueblo.

"¡Una exposición de arte en Villar de la Morena! Nunca pensé que vería el día", exclamó Mila con los ojos brillando de emoción.

Los amigos aceptaron la propuesta con cierta reticencia, imaginando las obras de Pedro plagadas de defectos de retratista primerizo. Pero lo que no sabían era que Pedro había perfeccionado la habilidad de retratar los rostros de manera asombrosa, capturando cada arruga y línea de expresión con maestría.

El día de la exposición llegó, y la plaza del pueblo se llenó de curiosos y amigos ansiosos por ver las creaciones de Pedro. El anciano artista estaba radiante, sintiéndose como un renombrado pintor de renacimiento

La sorpresa fue mayúscula cuando los retratos se desvelaron. Las caras de los retratados eran fieles reflejos de la realidad, y los asistentes quedaron boquiabiertos ante la destreza de Pedro. Pero, para su horror, al bajar la mirada hacia los cuerpos y la ropa, las risas comenzaron a estallar.

"¡Alberto, ¿esos pantalones son realmente lo que usas?!" exclamó Ethel, señalando el exagerado tamaño de los pantalones en el retrato.

Alberto, ruborizado, miró hacia abajo y luego hacia el cuadro. "Bueno, nunca pensé que se notara tanto que me gusta ir cómodo de cintura para abajo..."

Mila no pudo contener la risa al ver su retrato en el que aparecía rodeado de flores mustias. "¿Esas flores en mi jardín no son así? ¡Pedro, deberías aprender a dibujar flores correctamente!"

"Bueno, quizá además de plantar flores deberías recordar que hay que regarlas más a menudo", le respondió una vecina. "No basta con el agua de lluvia...".

La exposición se convirtió en una fiesta de carcajadas y comentarios divertidos sobre las interpretaciones de Pedro.

Al final del día, Pedro Pérez se retiró satisfecho. Aunque sus amigos no quedaron completamente contentos con la representación de sus cuerpos y ropas, habían descubierto un nuevo lado de la vida en Villar de la Morena: un toque de humor y color que antes parecía haberse escondido entre los trazos grises de la rutina.

La siesta

El sol caía pesadamente sobre el pequeño pueblo de Dormitorio de Arriba, y en la tranquila casa de los García, el calor se hacía sentir con intensidad. Era en esos días de calor cuando al anciano Ernesto no había otra cosa en el mundo que le motivara más que una buena siesta.

Su esposa, Agnes, era una mujer de carácter fuerte y determinado. No toleraba que su esposo Ernesto se echara la siesta tras la comida, temiendo que tal hábito perturbara su sueño nocturno. Si él no dormía, no dormía nadie y las noches eran entonces una pesadilla. Y así, cada vez que él intentaba cerrar los ojos después de un opíparo almuerzo, Agnes estaba ahí para boicotear sus sueños diurnos.

Ernesto, sin embargo, no estaba dispuesto a renunciar tan fácilmente al placer de la siesta. Intentó todos los trucos imaginables: siestas en el sofá, en la cama, incluso intentó una siesta estratégica en el baño, pero Agnes siempre lo descubría y lo despertaba con una mirada de desaprobación.

Desesperado, Ernesto decidió probar algo diferente.

Un día, mientras hojeaba un periódico local, descubrió un anuncio llamativo: "Curso de Meditación para el Equilibrio y la Serenidad". Pensó que podría ser la solución perfecta para disfrutar de su siesta sin que Agnes lo interrumpiera.

El día del curso llegó, y Ernesto, emocionado y esperanzado, se adentró en una sala repleta de almohadas, inciensos y gente que intentaba encontrar la paz interior. Los profesores, dos jóvenes entusiastas con atuendos llenos de colores chillones, le dieron la bienvenida con sonrisas zen.

Ernesto se acomodó en una almohada, cerró los ojos y se dejó llevar por las suaves indicaciones de los profesores. "Siente la energía del universo fluyendo a través de ti", susurraban. Sin embargo, la energía del universo no era rival para la falta de sueño acumulada de Ernesto.

A medida que la meditación avanzaba, los ronquidos de Ernesto resonaron en la sala. Los profesores intercambiaron miradas nerviosas, mientras los demás participantes trataban de contener la risa. Agnes, que también se había inscrito en el curso porque temía que su esposo quisiera tomarle el pelo, lanzó una mirada fulminante a su adormilado esposo.

"Ernesto, por favor, estamos en medio de una meditación", le susurró ella.

"Lo siento, cariño, pero es que esto es tan relajante que no puedo evitarlo", respondió Ernesto entre bostezos. Los profesores, tratando de mantener la compostura, continuaron con la meditación, aunque la serenidad se había perdido. De pronto, la perdieron del todo cuando los ronquidos de Ernesto volvieron a romper el silencio. Y esta vez eran tan intensos que podían ser oídos desde el exterior de la sala.

Finalmente, la meditación llegó a su fin, y los profesores agradecieron a todos su participación. La mayoría de los presentes salieron de la sala entre comentarios sobre la siesta y los ronquidos.

Al salir de la clase, Agnes se acercó a Ernesto con una expresión que mezclaba incredulidad y enfado. "¿En serio, Ernesto? ¿Roncar como un elefante en medio de una clase de meditación?"

También se acercaron los profesores para comprobar lo que le había pasado. "¿Se encuentra bien Sr. García? Tenía Vd. la respiración muy fuerte durante la meditación…?, le dijeron para intentar quitarle importancia al incidente.

Ernesto los miró a todos y se encogió de hombros y con una sonrisa pícara les respondió: "Estoy genial, nunca pensé que meditar me hiciera sentir tan bien. Hacía tiempo que no meditaba tan a gusto. Sin duda he logrado alcanzar la paz interior".

"Pues a partir de mañana debería meditar en su cama o en el sofá, pero de su casa", le sugirió de un modo muy poco zen uno de los profesores.

La playa

Doña Carmela, una anciana de ochenta y tantos años con una vitalidad digna de un huracán del Caribe, decidió que ese verano luciría un resplandeciente bronceado. Convenció a su amiga doña Encarnación para una escapada a la playa, decidida a hacerle frente al sol con la misma intensidad que enfrentaba la vida.

Ambas damas, ataviadas con bikinis más propios de señoritas veinteañeras que de octogenarias, se instalaron en la playa con sus sillas y sus sombreros de ala ancha. Doña Carmela sacó de su bolso una botella de bronceador que tenía más años que el propio mar.

"Encarna, querida, es hora de ponernos morenas como las estrellas de Hollywood", exclamó doña Carmela, repartiendo el bronceador con generosidad sobre su piel.

Entre risas y anécdotas de juventud, las amigas disfrutaban del sol cuando, de repente, un ladrón, que se acercó tras ellas, las despojó de un certero tirón de los bolsos de mano donde llevaban su dinero y los móviles.

"Oh, qué calamidad. ¿Y ahora cómo volvemos a casa?", se lamentó doña Encarnación.

Doña Carmela, con una chispa de ingenio que podría rivalizar con la de un joven, propuso pedir ayuda a algún transeúnte. Pero la primera persona a la que se acercaron no estaba dispuesta a ser el caballero que salvara a dos viejas damas en apuros.

"¿Dinero? ¿Para qué querrían dinero dos señoras mayores como ustedes?", espetó el hombre con desdén. "Parecen dos mendigas. Vayan y busquen ayuda en otro lado".

Indignadas y desesperadas, las amigas se retiraron, pero doña Carmela no se dejó vencer. "Encarna, saquemos nuestro último as bajo la manga. ¡Vamos a cantar en el paseo marítimo!"

Y así, con un coraje digno de una diva de Broadway, las dos damas se colocaron en el paseo marítimo y comenzaron a entonar canciones populares con más desparpajo que afinación. Los turistas y lugareños, al principio sorprendidos, pronto se unieron al espectáculo. Doña Carmela y doña Encarnación se contoneaban con gracia, arrancando risas y aplausos a su alrededor.

Para su sorpresa, el sombrero de playa colocado estratégicamente frente a ellas empezó a llenarse de monedas y billetes. La gente, encantada con la actuación inesperada, mostraba su agradecimiento con generosidad.

"¡Mira Encarna estamos ganando más dinero del que nos robaron!", exclamó doña Carmela, sin dejar de bailar.

Con la gorra rebosante de monedas, las amigas se despidieron del improvisado escenario y se dirigieron alegremente a un taxi. Mientras se acomodaban en el asiento trasero, doña Carmela le dijo al taxista con un guiño travieso: "Llévenos al restaurante más elegante del lugar, ¡hoy es nuestro día de suerte!"

El taxista, entre sorprendido y divertido, obedeció y las llevó a un restaurante con vistas al mar. Doña Carmela y doña Encarnación disfrutaron de una suculenta comida, brindando con champán por su inusual jornada playera.

De vuelta a casa, ya anocheciendo, doña Carmela le dijo a doña Encarnación con seriedad: "¿Ves, Encarna? A veces, un día triste solo necesita un toque de música y un poco de baile para convertirse en una jornada inolvidable".

El baile

Doña Rosario, una anciana apasionada de la música, decidió que ya era hora de cumplir su sueño de aprender a bailar. La idea de mover los pies al ritmo de la música le producía más excitación que encontrar una ganga en el bazar del barrio.

Su esposo, Don Esteban, era un hombre de costumbres arraigadas y, en su diccionario personal, la palabra "baile" ocupaba un lugar junto a términos como "examen de próstata" y "trámite burocrático". No le agradaba en lo más mínimo la idea de retorcerse en la pista de baile como un pollo desplumado.

Doña Rosario, conocedora de la aversión de su esposo al baile, optó por una treta. Una tarde, con una sonrisa traviesa en el rostro, le propuso a Don Esteban darle una "sorpresa cultural". Lo llevó a la Academia de Baile "Ritmo y Pasión" bajo el pretexto de que asistirían a un espectáculo de danza moderna.

"Esto te encantará, Esteban. Una mezcla de arte y movimiento", dijo doña Rosario, guiándolo hacia la puerta de la academia.

Una vez dentro, las luces tenues y el sonido de música alegre indicaron a Don Esteban que algo no cuadraba. Su expresión cambió de expectante a confundida.

"¿Danza moderna, Rosario? ¿Qué clase de espectáculo es este?", preguntó con un punto de desconfianza.

Doña Rosario le lanzó una mirada de complicidad y, señalando el letrero que anunciaba las clases de baile, exclamó: "Sorpresa, Esteban. Hemos venido a aprender a bailar. ¡Es hora de soltar el cuerpo!"

Don Esteban abrió los ojos como platos y, antes de que pudiera articular palabra, doña Rosario lo empujó hacia la clase de salsa que estaba a punto de comenzar.

El profesor de baile, un joven con más energía que una pila alcalina recién estrenada, saludó a la pareja y comenzó a enseñar los movimientos básicos de la salsa. Doña Rosario, completamente entregada, movía las caderas con soltura, mientras que Don Esteban se sentía más incómodo que una silla rota.

"Esto no es lo mío, Rosario. Me siento ridículo", murmuró Don Esteban entre dientes.

"No seas amargado, Esteban. ¡Sigue el ritmo y disfruta!", le animó doña Rosario, arrastrándolo a la pista de baile.

A regañadientes, Don Esteban comenzó a seguir las instrucciones del profesor. Entre risas y tropiezos, la pareja se enredaba en pasos y giros de todo tipo. Doña Rosario estaba encantada con la situación, mientras que Don Esteban, a pesar de sus protestas iniciales, no podía evitar soltar una carcajada cada vez que cometían un error.

La hora de clase pasó volando, y al final, Don Esteban, sudoroso, pero con una sonrisa en el rostro, admitió: "Bueno, quizás no sea tan malo esto del baile".

Doña Rosario le dio un beso en la mejilla, radiante de felicidad. "¡Te lo dije, Esteban! El baile es maravilloso. ¿Listo para la próxima clase?"

Don Esteban, aún reacio, pero con una chispa de entusiasmo en los ojos, asintió. Nunca había tenido un No para su esposa. Era su forma de decirle que la quería.

No dejas de reír porque te haces mayor.
Te haces mayor porque dejas de reír.

Maurice Chevalier

MIXTO
Papel procedente de fuentes responsables
Paper from responsible sources
FSC® C105338